달아,
너무 높이 뜨지는 말아라

글 심창섭 사진

디자인하우스

부재는 그리움의 또 다른 이름이다

아무리 살펴봐도 제 사주四柱에 역마살은 없었습니다.

그럼에도 숫눈위에 첫 발자국을 새기던 희열과 작은 창으로 떠오른 또 다른 세상을 내키는 대로 헤집어 본 마음여행의 흔적입니다.

그 순수를 저만의 감성으로 비틀어봅니다. 불나방처럼 달려든 필름 프레임과 원고지의 사각 틀. 낙원인줄 알았던 사각공간이 부담스러워 몇 번 탈옥을 꿈꿨지만 생각뿐이었습니다.

김종길시인의 시 〈사진〉의 '사실에만 충실하다고 해서 예술이 아닌 것은 아닐 것이다'라는 한 구절이 발화점이 되었습니다. 우리의 삶에서 사소한 것이 있겠냐마는 마음열고 보니 눈길 닿는 모든 것이 아름다웠습니다. 시인처럼 일상적 사실에 예술성이 진득한 풍경을 그려보고 싶었습니다.

먼저 사진과 글을 한 덩어리로 만든 이유를 말하려합니다. 하나도 완전치 못한 얼치기라 탈을 번갈아 쓰며 부족함을 피하려는 술수術數입니다. 말하는 이미지로, 이미지의 활자화된 저만의 언어를 구사해

보고 싶었습니다. 치기어린 감성이라 억지 예술성을 담겠다는 의도는 생략했습니다. 그저 가슴에 고인 그리움과 생의 길목에서 마주친 풍경과 나눈 대화이고 넋두리입니다.

오랫동안 사진과 어울린 이력이 오히려 짐이 되었습니다. 함께한 세월에 비해 무게감이 보잘 것 없기 때문입니다. 가슴으로 다가온 느낌을 고스란히 담고 싶었지만 그 수준에 다다르지 못한 것을 아프게 실감하고 있습니다. TV화면에 자막을 넣듯 모자란 생각을 보태는 마음입니다.

너무 가벼워 옷깃에 머물던 먼지처럼 바람일면 소리 없이 떠나버린 찰나의 조각입니다. 더 이상 부셔질 것도, 빛날 것도 없어 기억하지 않아도 될 떠돌이별의 스침입니다.

황사가 외출한 모처럼의 맑음이 상쾌합니다.

동쪽 시선의 끝, 대룡산이 가꾸는 정원의 구름꽃이 유난히 아름다운 오후입니다. 🦗

차례

▌첫 번째 이야기 - 사유의 뜨락을 걷다

우연히 마주친 사물에서 가슴이 열릴 때가 있습니다.
혼자만의 사유思惟로 얻어진 이미지라 난해할 수 있어 토막글을 곁들입니다.
내면을 이미지화 해본다는 것이 생각처럼 녹록치 않았습니다.
실재의 표피를 통해 내면의 함축미를 표현하고 싶은 의욕이 앞서기만 했습니다.
그저 스스로에게 삶은 무엇이며 어떻게 관계했던가를 묻고 대답해보는 마음의 조각보입니다.

▎두 번째 이야기 – 그리움을 추억하다

사랑 없이 살아갈 자신이 없습니다.
특별하지도 않은 추억의 보퉁이를 풀어 흐린 옛 기억을 더듬는 뒤안길의 풍경입니다.
타임머신에 올라 소소한 추억을 되새김질하는 시간을 행복이라 자위해 봅니다.
잠깐 그 시절로 다가가 어깨를 기대보며 체취를 떠올립니다.
부재는 그리움의 또 다른 이름입니다.

▌세 번째 이야기 – 시간의 뒤안길을 엿보다

제 삶의 그림자이자 자술서일지도 모릅니다.
'혼밥', '혼술' 등 현시대의 트렌드를 미리 체험해야 했던 어제의 아픔들. 예측할 수 없는 결과에
조바심으로 뒤뚱거리던 졸보拙甫의 어눌한 언어입니다.
쉽지 않은 여행이기에 예술을 빙자하여 영민하지 못한 자신을 시류時流로 포장해 봅니다.
미미한 흔적의 생을 복기復棋해보는 즐거움도 나름 쏠쏠합니다.

네 번째 이야기 – 이미지의 늪에 빠지다

고민이 많았습니다.
좋은 사진을 만들고 싶은 욕심은 크지만 쉬운 일이 아님을 알고 있기 때문입니다.
태생적 유전자를 벗어 던지려는 의도는 무모할 뿐이었습니다.
그저 지니고 있는 인성에 걸 맞는 포장을 할 수밖에 없었습니다.
인화지의 여백이 버려진 공간이 아니듯 호수의 여백도 빈 공간이 아님을 깨우쳐 가고 있습니다.
사색思索을 이미지로 부활을 시도해 봅니다.

첫 번째 이야기

사유의 뜨락을 걷다

달아, 너무 높이 뜨지는 말아라

*

작품번호 15

고개 숙인 아름다움은
저문 해를 향한 응석일 뿐이다
생전 단 한 점의 작품이 팔렸다는 빈센트 반 고흐
그가 사랑했던 해바라기

짧은 생을 스스로 강렬하게 연출한
예인藝人의 자해 도구는 아직 발굴되지 않았다
노란 벽을 배경으로 깊은 잠에 들었다

장전되었던 총알이었던가
미라가 된 꿈 속에 검은 탄환이 가득하다
더 이상은 숙일 수 없는 자존심
마지막 미련으로 버티는 고고孤高
발아를 꿈꾸며, 이쯤에서 한 해 살이
생의 미소를 접는다

캔버스canvas를 떠나지 못할 그를 위해
열다섯 번째가 될 해바라기로 추모사를 대신한다

수혼비문 獸魂碑文

젖은 바닥을 수繡놓은 별꽃들
조류독감이 쓸고 간 저물녘
봉분 없는 지하에서
가늘게 푸덕이는 마지막 날갯짓 소리

풍성한 식탁을 위해,
출출한 주당酒黨들이 술잔을 비울 때마다
그저 한 저름 육신 보시布施했을 뿐인데
날개를 가졌다는 이유만으로
부리나케 묻혀 진 신음들
울분鬱憤에 숨 가쁘다

그래도 봄 다시오면
슬픔으로 들썩이던 저 봉분 없는무덤 위에도
새 풀들 다투어 돋아나겠지

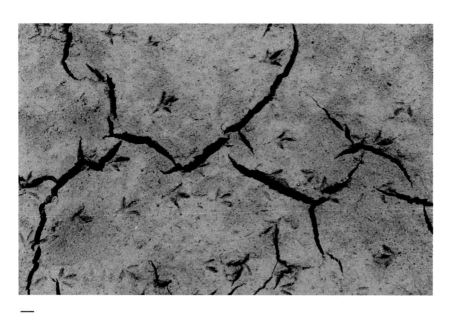

—
조류독감 : 조류의 호흡기 전염병. 고병원성·약병원성·비병원성으로 구분된다. 고병원성은 우리 나라 법정 제1종 가축전염병으로 분류하며 감염된 닭·오리는 80% 이상이 폐사한다. 감염된 조류는 매장하며 우리나라는 2003년이후 매년 발생하고 있다. 구제역과 함께 축산농가에게 큰 타격을 주는 전염병이다.

달아, 너무 높이 뜨지는 말아라

*

당신

어떤 인연이 우리를 하나로 잇게 했는가
희로애락의 삶을 공생하는 시공時空
아직 가야할 길 한참이지만
함께하기에 외롭지 않다
가진 게 모자라 아쉽고 부끄러웠지만
그것 또한 행복 중에 하나일지도 모른다
더 이상 잃을 것 없는 가벼움
동행하는 당신 있어
내칠 수 없는 생을 끌어안고
같은 곳을 향해 훌훌 먼길을 간다
그래서 고맙다

소리

바람이 창문을 쉬지 않고 흔들어
문을 열어야 할지
더 꼭 닫아야 할지
망설여집니다

문장은 아직 완성되지 않았는데
의성화된 언어들이
창밖에서
윙윙거리고 있습니다

어찌해야 좋을지 모르겠습니다

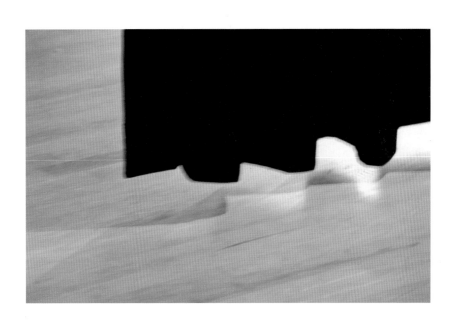

18 달아, 너무 높이 뜨지는 말아라

*

불쑥

여행은 흔들림조차 편안하지
훌쩍 떠나고 싶었던
여행은 그렇게 불쑥 시작되는것
차창으로 흘러가는 풍경들,

덜컹거리는 흔들림이 요람처럼
아늑하다. 어딘들 어떠랴
목적지 정하지 않은 길 떠남
마음 닿는 곳에 내리면 그만인 것을,

달리는 기차에게
흔들림의 이유를 물을 필요는 없지 않은가

사랑니 *

가장 안쪽,
내 청춘의 산실
그 내밀한 곳에 버티던 사랑니를 뽑았다
시원섭섭함 뒤에 남은 미련한 미련이
끈적이는 혀의 추행을 허락한다
비어진 가슴으로 끼적인 언어는
점액질 어둠속을 헤매다 사라진다

22 달아, 너무 높이 뜨지는 말아라

*

가을이다

말과 글로 우리는 인격체로 완성된다
정말 그럴까? 침묵도 외침도 돈이 되는 시대
절필絶筆을 선언하고도 글을 쓰고
성대결절을 고백하고도 한 소리 해대는 세상이니까

그래도 개울물 여전히 흐르고
새들도 지저귐 멈추지 않는다
바람도 나뭇잎을 흔들었다
그래 살아있는 몸짓이란 그런 것이지

오늘은 소란스런 TV를 끄고
책장 넘기는 소리로 한 끼를 때운다
침묵의 묵직한 외침이
풀벌레 소리처럼 정겹다

벌써 가을이다

*

흔들리는 삶

부채를 흔들자 바람이 일었다
손안에 바람이 있었던 것인지
부채 속에 있었던 것인지 알 수 없었지만
비바람이 되고 때론 눈발로 날렸다
그 하늘 바라보며
아이는 중년이 되고 다시 소년의 꿈을 꾼다
봄이 오고 또 봄이 지나치듯
계절은 그렇게 오고 갔다
신발 속 작은 모래알 하나에도 절룩이던 젊음
바람의 근원根源을 알지 못한 것처럼
나는 아직 내가 어디쯤 머물고 있는지 모르겠다

*

안개마을

목이 긴 새 한 마리가
안개마을 고요를 더 침잠케한다

새들마져 생각할 시간이 필요한 세상
그의 사색을 위해
까치발로 걷는다

*

빈칸

빈칸은
빈칸으로
충만했다

번잡함 잊은 하얀
그대로 비어두어도 아름다운 여백
마음 가볍다

30 달아, 너무 높이 뜨지는 말아라

*

회향回向

만져질 듯한 푸른 하늘이
마냥 싱그럽습니다

까치발로 허우적거리던 미련의 한낮
지나치던 소나기가 이쯤에서 그만 하라며
머리를 툭툭 쳐댑니다

오매불망,
발 돋음으로 살아온 지난날이 괜히 부끄러워집니다
슬그머니 발길을 돌렸습니다

*

뒤안길

솔기 터진 채 길모퉁이에 나뒹굴 던
봉제인형이 떠올라
옷깃을 여밉니다

남은 길의 걸음이
추하지 않았으면 좋겠습니다

34 달아, 너무 높이 뜨지는 말아라

*

스쳐가는 것들

전동차 멈출 때마다
습관대로 문이 열리고
새로운 눈동자들이 밀물로 몰려든다

문이 닫히고
낯선 표정들은 아무렇지 않게 새로운 풍경이 된다
다시 문이 열려
기억할 필요조차 없는 뒷모습을 흘리며 떠나간다
그렇게 만나고
그렇게 스쳐가는 시간,
뜨거운 사랑을 만나고 아린 이별도 포장한다

종점안내 방송에
가방 챙기는 사람들로 부산스럽다
조금도 슬프지 않은 이별
아무것도 남기지 않는 풍경이다

*

눈길

아무도 밟지 않은 숫눈 위에
첫발의 용기와 도전의 흔적을 새깁니다
되돌아오는 사이
많은 발자국이 얹혀 제법 길의 모양이 만들어졌습니다
의도意圖하지 않은 행동으로도
하나의 길이 만들어 질수 있음을 깨닫습니다
허나 그 또한 망상일 뿐이었습니다
분명 내 발자국 얹혀진 길이었는데
눈 녹아 흔적없이 사라져버린 길 앞에서
혼자 흥분하고 좌절하는 그런 생의 길목입니다

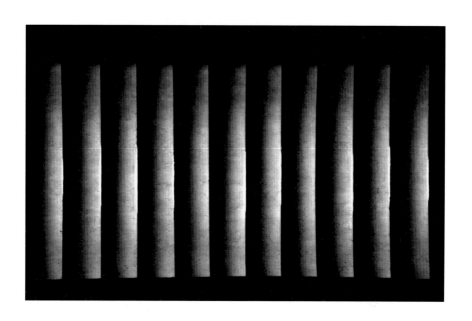

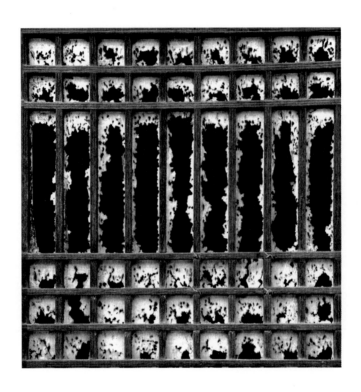

*

시화詩畵

아픔뿐이었다고 생각했던 지난 날들이 봄날이었음을,
그 기억이 추억의 한가운데 버티고 있음을,
아름다운 풍경화였음을,
뒤돌아보면 그리움뿐임을,

아둔하기만 했던 젊은 날의 방종放縱이
저기, 비망록으로 머물고 있습니다

*

마지막 모습

돌아서지 못하는 건 세월만이 아니다
낮은 곳으로만 흐르는 저 고집스런 강물도
너른 바다에 이르러
다시 돌아올 수 없는 지금을 추억하리라

돌아볼 필요 있겠는가
철새 한 마리 날지 않는
이별의 침묵
푸르기 만한 그리움

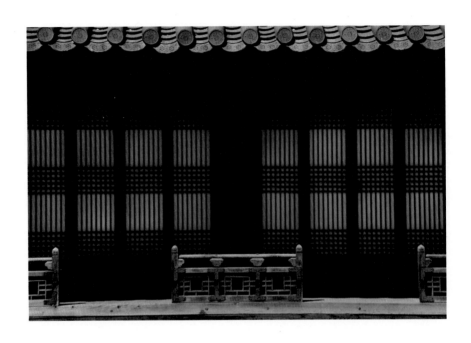

*

고요

입이 저절로 닫히는 고요와 마주섰습니다
침묵이 가득한 아침의 언어
말이 넘치는 세상이어서
말없음이 오히려 두런거립니다
사색思索의 문을 열고
하안거에 듭니다

풀꽃

보아주는 눈길 없어도
여름 숲은 풀꽃들이 지천입니다
벌 나비들과
숲속 모든 생명들의 향기로 가득합니다
풀꽃들은 누가 보아주길 바라며
꽃을 피우지는 않습니다

신의 애정과 시선이 느껴집니다
절로 고개가 숙여집니다

고마리 : 여뀌속 마디풀과에 속하는 한해살이 풀이다. 들이나
'고만이'라고도 하는데 꽃의 크기가 작아 고만 고만하다는 뜻
의 설도 있다. 주변에서 쉽게 볼 수 있는 작은 식물로 여름이
끝나갈 8월 말에서 9월 중순에 흰색, 분홍색의 작은 꽃을피운
다. 꽃말은 '꿀의 원천'이다

46 달아, 너무 높이 뜨지는 말아라

*

일상

바람이 없는 듯해도
언제나 파도는 일고
상처와 불만을 품고도
신들린 듯 장애물을 넘고 넘는 오늘이다

*

눈물은 슬픔의 전유물이 아니다

그리 멀지않은 곳에 봄이 있는지
물 흐르는 소리가 들린다
단단한 얼음장 밑일 수도 있고
겨울잠에서 깨어난 나무가
수액을 긷는 소리일지도 모른다
봄은 그렇게 작은 소리와 따듯한 한줌 햇살로 다가온다
어쩌면 이미 와있었는지도 모른다

달아, 너무 높이 뜨지는 말아라

*

무 無

허물어져 가는 낮은 무덤 앞
비바람 다녀간 흐린 비문을 더듬는다
말들은 결국 다 바람으로 흩어질 것이다
바위 돌은 모래로 부셔져 내릴 것이다
아무것도 움켜잡지 못한 빈손
무심한
저문 햇살이 기웃거리고 있다

*

골목

때맞추어 제철 음식 먹어야 건강하다던 말씀은
철 지난 옛이야기일 뿐입니다
비닐집의 계절 잃은 과일들이 식구를 늘입니다

며칠 후가 처서處暑라는데
모기입 삐뚤어지는지 살펴 볼일입니다
녹슨 못에 매달린 달력은 그저 벽의 장식물
애벌레 같은 숫자들이 꾸물거립니다

열대야로 며칠째 잠을 설치고 있습니다
해마다 태풍 올까 근심걱정이었는데
애벌레 같은 작은 태풍 하나 만나
차 한 잔 나누고 싶은 이상기온입니다

더위와 갈증을 잊게 해줄
줄무늬 수박이 쌓여있지만
비싸 망설여지고
철은 지났지만 그래도 예스런 대화 그치지 않는
골목 풍경이 정겹기만 합니다

이명: 외부에 소리나 자극이 없는데도 귓속 또는 머릿속에서 소리가 들려오는 현상을 말한다. 다른 사람은 그 소리를 듣거나 느낄수 없는데 본인에게만 소리가 들리는 질환이다. 귀울림이라고도 한다.주변이 조용해지는 밤이면 소리의 고통에 더 시달리는데 보통 노화로 발생한다.

*

불청객

불쑥 찾아온 소리꾼과 동거 중입니다
며칠 묵다 갈 줄 알았는데
아주 터를 잡고 들어앉았습니다
한 번도 마주친 적은 없지만
좁은 창틈 비집고 들어오는 바람이나
귀뚜라미 악보로 밤새 연주를 합니다
자신의 노래에 반응하지 않자
이번엔 주파수 맞지 않아 지지직거리는 라디오의
노이즈noise로 칭얼거립니다

페르시아의 샤리야르가 1001일 동안 들었던
아라비안나이트의 긴 이야기
끝도 없이 이어지는 되돌림 표 악보에
어지로움을 호소합니다

귀가 순해진다는 이순耳順의 고개를 넘어서는 길
말귀 어두워 답답해하던 귀가
스스로 대문을 연 것인지도 모르겠습니다
한 소절도 알아들을 수 없지만
길손 내칠 수 없어 긴 밤을 함께 합니다

아직도 아침은 멀리 있습니다

*

상처

얇은 종이에 손을 베었다
피 한 방울, 이슬처럼 맺혔다
날카롭고 뾰족하고
송곳니 같은 말들만 상처를 주는 게 아니었다
바람 없는데
갓 피어난 선홍빛 장미꽃잎 하나 뚝 떨어졌다

58 달아, 너무 높이 뜨지는 말아라

달아, 너무 높이 뜨지는 말아라

저물녘 풍경이 사위어 간다
새들도 하나둘 자리를 뜬다
바람 불어 미루나무 숲 술렁이고
산 그림자 물결에 일렁인다
달빛이 가로등 불빛과 어우러지면
호숫가 빈 의자에 앉아
달빛에 젖어드는 풍경을 지긋이 바라보려 한다
구름 한 덩이 머물다 사라진 빈 하늘
일그러져가는 달의 표정이
시인도 아닌 내게
한 줄 글을 쓰게 한다

*

흔적

밀려오고 가는 파도의 걸음
차르르, 차르르!
음표로 살아나는 작은 몽돌들
서로의 몸 부대끼는 저 조약돌들은
돌이 아니라
물고기의 언어이거나 알일지도 모른다
그치지 않는 파도 소리
파도를 밀어내는 바다와 뭍의
경계선을 따라 걷는다
바다는 가끔 크게 다가와
내 신발 끝을 적시기도 하지만
뭐 어떠랴
백사장에 새들의 발자국 요란스럽다
가벼워도 새들은 흔적을 남긴다

*

떠 있는 공

연 하나 떠있다
눈부신 태양의 하늘에
꿈처럼 떠있는 창백한 낮달이 안쓰럽다

내가 서 있는 이 땅도
떠 있는 공
뿌리를 내린 것도
공중을 나는 것도 모두
떠 있는 공

가는 실끈에 얽매인 풍선도
연鳶도
우리의 인연도
떠 있는 공

*

나무들

꽃잎도, 나뭇잎도 자신의 무게로 흔들리고
버티다 땅위로 내려온다
잠시 허공을 날았던 가벼운 기억을 지우며
지면으로 내려앉는다
나무 밑
풀숲
여기저기 몸을 숨기고 있는 열매들

낙엽 속에서
숙명인지 해탈인지 알 수 없는
순환을 꿈꾸는 나무들

그믐달: 음력 27일 경에 낮게 뜨는 왼쪽이 둥근 눈썹 모양의 달이다. 보통 그믐달과 초승달을 구분하지 않고 손톱달이라 부른다.그믐달은 새벽 해뜨기 전 동쪽하늘에서 잠시 볼 수 있으며 초승달은 음력 3일 경에 뜨는 오른쪽이 둥근 눈썹 모양의 달로 저녁에 서쪽 하늘에서 잠시 보인다.

*

그믐 달

가슴 한구석에 웅크리고 있는 감성을
미련이라는 한마디로 단정 짓는 건 무례하다
돌아선 등이 따뜻했기에 더 애틋하다
뒷모습을 바라봐야 했던 안타까운 스침이었기에
돌이켜보면 아쉽고 미안함이 고인다
갚을 수 없는 빚이 되고 만 사연이
묵음의 고해성사로 야위어가는 계절이다

┃두 번째 이야기

그리움을 추억하다

*

돌이켜보면

산굽이 너머로 멀어지던 기적처럼
그대 그렇게 조금씩 지워져 가고
표정 없이 반듯하던
단단한 빗돌碑石마져
비바람에 서서히 무너지다 잘게 부서져
세월의 뒤안길에 내리는 눈

가슴 시리다

달아, 너무 높이 뜨지는 말아라

*

줄탁동시 啐啄同時

겨울이 산란한 무정란이다
아니,
겨울철새의 깃에서 떨어진 유정란일지도 모른다
봄 햇살에
가슴 속 품은 사연 쪼아보면
어떤 모습으로 고개 내밀까

*

해후 邂逅

어린 시절 뒤란에 고이 묻었던
색색의 구슬 ……
추억의 씨앗들 ……

삼월,
우연히 첫사랑의 기억과 마주쳤다
촉촉하고, 화사한
그런 봄이 시작될 조짐이다

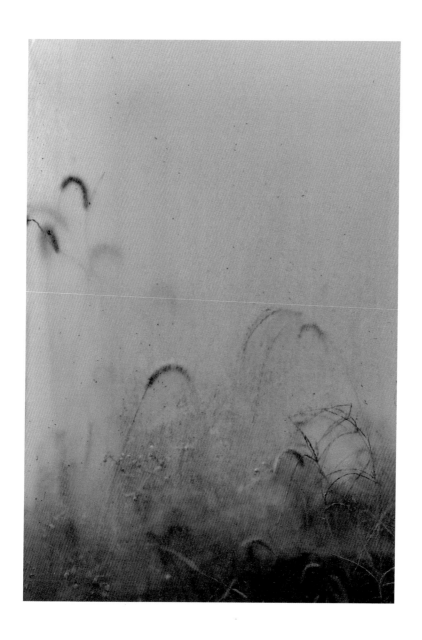

달아, 너무 높이 뜨지는 말아라

*

왜

바람 한 점 없었는데
왜 그때 나뭇잎이 그리 흔들렸을까?
사랑한단 말 한마디 못했는데
가슴속 음영陰影 짙은 그림자는
왜, 자꾸 어른거리는지

*

전설

안녕을 고 하련다
한때 내 심장을 뜨겁게 달구던
불꽃이었으나
이제 전설을 꿈꾸며 잠에 들련다
어두워지며
주변이 지워지듯
너 또한 그렇게 묻혀 가겠지

달아, 너무 높이 뜨지는 말아라

*

실루엣silhouette

보내고 나서야 그림자 찾아 헤매는 미련
뚜렷하지 않아 오히려 지워지지 않는
질긴 아쉬움이 명치끝에 매달려있다
모질지 못한 서툰 이별 뒤편의 노을이
왜 그리도 잊히지 않고 아름답게 기억되는지
그것이 못내 나를 슬프게 한다
보내고 나서야 눈 뜨는 사랑

82 달아, 너무 높이 뜨지는 말아라

이런 사랑

첫 문장은 언제나 너로 부터 시작된다
세월이 꿈을 먹는건지
조금씩 야위어 가는
너를 향한 그리움 끝에서 머뭇거리는
물기어린 순애보

*

고향 색

해마다 가을이 깊어지면 도배를 했다
파리똥 더께로 앉은 누런 벽지 걷어내면
훅, 다가오던 흙 내음
뜨거움 채가시지 않은 밀가루 풀 듬뿍 묻혀
새 도배지를 입혔다
누렇게 쩌들고 구멍 난 창호지 뜯어내고
코스모스, 과꽃 잎 붙여
두 볼 볼록 물 머금고 푸- 푸- 뿌리면
늦가을 햇살에
팡! 팡!
맑은 소리로 울어대던
한지 세살문의 뽀송한 목소리가 그립다
가을이면 새집이 되던 지난날 고향 색

*

오늘

외롭지 않아도 사랑이 그리운 날이 있다
비 내리는 오후
문득 네 모습 떠올라
커피를 내린다

너

참,
끈질기다

*

그대라는 이름

세레나데를 부르기도 전
포르르 날아 가버린 새

내가 널 아프게 했는지
네가 날 원망했는지
아직도 모르겠는데

책갈피 속 마른 꽃잎으로
엉겨 붙은 단어 하나, 그대

90 달아, 너무 높이 뜨지는 말아라

*

여행 스케치

여행 길입니다
유목遊牧의 나라,
끝없이 펼쳐진 몽골초원
울퉁불퉁 구불구불 흙길을 따라갑니다
너른 초원이 지루할 즈음이면
점점이 하얀 게르(텐트)와 양떼가 나타나곤 합니다
이정표도 없는 비포장 길,
가끔 뽀얀 먼지 꽃을 피우며 달리는
오토바이가 보일뿐입니다
먼지 뒤집어 쓴 가죽옷 걸치고
길가에 앉은 이들의 표정은 밝기만 합니다
먼지 닦듯 손 흔들어 주는 투박한 미소가 따뜻합니다

*

울컥

한줄기 시원한 소나기에
꽃잎을 떨구는 여린 마음이 있다

눈물이 번질까 부리나케 화장을 끝내고
서둘러 안녕을 고했다
다행히 동행하는 친구들 있어
외로움을 나눈다
소리 없이 빗물이 볼에 얹혔다
눈물이었는지도 모르는 ……

달아, 너무 높이 뜨지는 말아라

*

달 항아리

한때의 사랑과 이별이
그리움과 미움으로 얼버무려져
달의 정령精靈으로 떠올랐다

잘디 잘은 빙열氷裂
가슴속으로 스며들어
소리조차 삼켜버린 묵음默音의 결정

낮게 가라앉아 다시 부유할 수 없는
달의 언어는 아직 해독불가이다

*

의암호

가을이면 수시로 안개가 도시를 떠돌았다
먼 산을 지우고 호수를 감싸 앉으면
꿈결 같은 회백색 그리움으로 화폭이 채워진다
하늘빛, 산빛, 물빛 모두 안개 세상
길 잃은 가마우지 떼 날개 접은
11월의 의암호

*

텃밭 단상

십여 년을 일구던 텃밭 일을 끝냈습니다
끝이 뭉툭하게 순해진 손때 절은 쟁기들
버릴 것이 꽤나 많았습니다
잃어버린 것들도 수북합니다
봄날의 나른한 적막을 깨우던 산꿩 소리와
앞산과 뒷산을 이어주던 나른한 뻐꾸기 소리
전깃줄에서 구슬피 울어대던 잿빛 비둘기의
낮은 음율도 지워지고 말았습니다
밭 언덕에 무리 지어 피어나는 조팝꽃과
수북이 환약으로 쏟아 놓았던 고라니 똥이
그리운 봄날,
오늘, 온몸이 근질거립니다

*

시린 그리움

마침표를 찍으려다
쉼표로 만들고 말았습니다

아직 할 말이 남은듯합니다

생강나무: 전국의 산기슭 양지바른 곳에 자라는 낙엽 떨기나무이다.
가지를 씹어보면 생강향내가 난다. 잎과 꽃은 차로 쓰이고 열매는 머릿
기름으로도 사용하며 동박나무라고도 불린다. 이른 봄 노란 꽃을 피우
는 봄의 전령사이다. 꽃이 산수유화와 비슷해 많은 사람들이 혼동하기
도 한다. 김유정의 소설 '동백꽃'으로 유명세를 치루는 나무이다.

*

삼월

아무 계획 없는데
꽃망울 마구 돋는 봄날
싱숭생숭 덩달아 들뜬 금병산 등산길,
발걸음들 분주하다
저기 실레마을,
유정의 초가에 노란 봄빛이 쏟아진다

*

기억

방부제 덧칠한 한 그리움이
한줌 햇살에 사금파리마냥 존재를 드러냅니다
이미 열 번도 넘는 봄꽃을 피우고 지우면서
몸피늘인 꽃나무에 세월의 더께가 쌓입니다
그 많은 날 스쳐갔음에도
어김없이 아련한 봄 향기로 피어나는 까닭은 왜일까요
불쑥 어느 길목에서 마주친다 해도
서로 알아보지 못하고 무심히 지나칠지 모르는데
왜 아직 이곳에 서성이는지 모르겠습니다

달아, 너무 높이 뜨지는 말아라

*

봄바람

어떻게 손수건 흔들었는지
젖은 술잔 기울이던 가슴앓이조차 가물대는데
봄이면 잊지 않고 바람 일어
숲을 흔든다
숨죽이고 있던
마른가지도 덩달아 출렁였다

*

촉수

꽃들은 철 따라 어김없이 꽃을 피웁니다
그 향기에 취하다 보면
발아되지 못했던 그대의 말이
선연히 가슴속에서 움을 틔웁니다
아쉬움의 뒤늦은 신열에 뒤척이며
그대 향해
촉수를 뻗어봅니다

*

유효기간 없음

생의 길목에서 스친 옷깃은
때맞춰 내리는 단비의 유전자를 품고
다가왔던 필연일겁니다
끝내 지우지 못할 그리움의 잔영이
물안개 스미어 오듯
메마른 가슴을 촉촉하게 합니다

*

오타 하나

그래, 지금 생각해보니
내가 더 다가섰어야 했어
그때 한 발을 더 내딛었다면
우린 전혀 다른 세상에서 호흡하고 있을지도 모르지,
그땐 한발자국에
서로의 인생이 달라질 거라고는 생각조차 못했으니까

오타 하나로 문맥이 달라지듯
그런 삶을 서성이는 생의 길목, 아련하다

*

감성 언어

누군가 이 사진 속에 스며있는
아련한 단어를 건져 올렸다면
당신은 한 번쯤 미완의 사랑으로
가슴앓이를 경험해본 분 일겁니다

사진이 문자나 기호화되는 것이 아니라
느끼고 이끌어 주는 감성언어였음을
말하고 싶었습니다

멀리서 그대 향한 마음을 전합니다

*

한점 그리움

햇살에 첫눈 덧없이 녹아내리듯
내 풋사랑도 그랬다
여운만 남기고 사라져 버린
그 시간의 기억이 깃털처럼 떠올라

불쑥 너의 안부를 묻는다

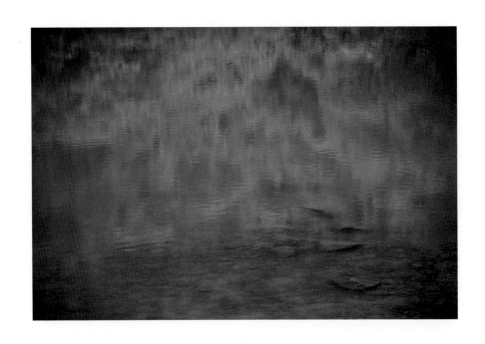

*

집착執着

서른,
그 곳에 나의 젊음이 존재했었다
설익어 날뛰던 방종放縱과
풋사랑의 찌꺼기가 남겨져있다

또 다시 서른이 지나친 머언 뒤안길
차마 떠나보내지 못한
미련의 집착 하나가
아직 고집스럽게 그 자리를 지키고 있다

*

하얀 미련

돌이켜보면
언제나 가슴이 먹먹하다
눈을 감고 희미해가는 체취에 귀 기울인다

돌이킬 수 없는 시간
바래어 가는 화첩을 덧칠하며
나만의 하얀 미련
둥글게 접는다

*

꿈결

시간이 꽤나 흘러
그대가 변해버린 나를 알아볼 수 있을까
아니 삶의 때 찌든 내가
그대를 알아보지 못할까 그 또한 걱정이다
이미 바람에 분분히 흩어졌지만
아직도 가슴저려오는

연분홍 추억 하나

*

촉촉한 그리움

호수의 담백함을 사랑했다

포만감 없을지라도
고졸한 질그릇에 담긴 다향茶香처럼
그윽함 짙게 배인 풍경에 취한다

오늘 너른 여백을 향해 던진 그물에서
시어詩語 한 줄 건져 올린다

가슴 촉촉하다

의암호衣岩湖 : 삼악산과 드름산 사이를 흐르는 신연강 협곡을 막아 1967년 준공된 의
암댐 담수로 형성된 인공호수이다. 북한강과 소양강이 합쳐진 호수가 되어 춘천을 호
반의 도시로 만들었다. 호수 내에 고슴도치섬, 상·하중도, 자라섬, 붕어섬 등을 품고 있
는 아름다운 곳이다.

김유정金裕貞(1908~1937) 춘천의 대표문인 동백꽃·봄봄 등 주옥같은작품 30편을 남기고 스물아
홉 생애로 무지개처럼 사라진 영원한 청년작가, 2002년 생가복원, 기념관을 개관한 김유정문학촌
은 강원도 1호공립문화관이다. 2004년에는 김유정의 고향마을에 소재한 경춘선 신남역을 김유정
역으로 명칭을 바꿔 한국철도 최초로 역명에 사람 이름을 사용한 기록을 세웠다.

*

유정裕貞의 뒤란

이른 봄
금병산기슭 동백꽃과 마주셨습니다
올 첫 봄꽃이라 설렙니다
봄은 아직 실레마을 뒤란까지 오진 못했지만
반가움에 당신의 안부 묻습니다

눈을 감고
긴 겨울 묵언수행을 끝낸 동백꽃몽우리가
봄 문을 여는 소리에 귀 기울입니다
이 봄의 시작점에서
노란 꽃향기에 먼저 취해 봅니다

코끝이 알싸해 집니다

세 번째 이야기

시간의 뒤안길을 엿보다

*

밑줄

공감되고 감동이 밀려와
밑줄을 주~욱긋고
언젠가 한번은 더 읽어야 할 것 같아
상단 귀퉁이를 삼각으로 접었습니다

책장을 정리하다가
모서리가 접힌 책을 펼쳐봅니다
밑줄도 보입니다

그런데 특별할 것도 없는 것 같은 이 문장에
왜 밑줄이 그어져 있었는지
도무지 이유를 모르겠습니다

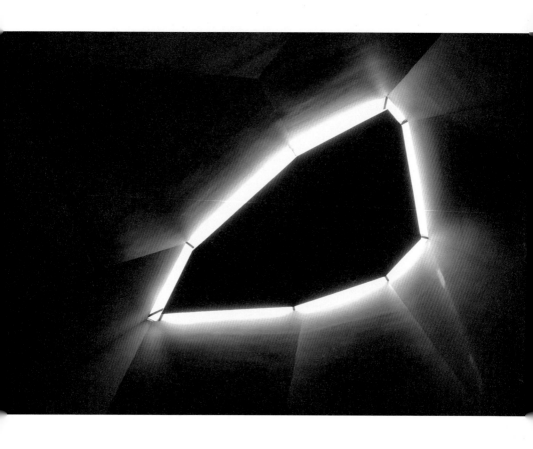

*

무심無心

손톱을 자른다
심장이 뛰는 한 자라나고
또 잘리 울 손톱
툭!
조금 전까지 체온을 함께하던 나의 일부였는데
작은 비명을 지르며 몸의 한부분이 떨어져 나간다
아픔도 없이 이별을 고하는 무덤덤함
아무렇지 않게 카타르시스katharsis를 반복하는
삶은 그래서 슬프다

시월의 어느 날

열차의 덜컹거림이 숨 가쁘다
터널 속 지나칠 때마다
소나기 소리에 귀가 젖는다
차창으로 시월이 풍경으로 흐르고
규칙적인 흔들림에 몸이 나른하다
종착역은 아직 먼데
내릴 의향이 없냐며 실없이 문을 여닫는
한낮의 전철 길목이 한갓지다

달아, 너무 높이 뜨지는 말아라

*

사연

가까이 있어도 외롭구나
애매한 간극間隙의 온도
한발만 내딛어도 벼랑 끝이 되는 아득함
따로, 또 함께
그래도 너를 바라볼 수 있는
이 정도의 거리라면
그깟 외로움쯤이야 ....

깃털

돛 없는 작은 배의 첫 출항
홀로 떠나야하는 여행길에 안타까움이 얹혔다
빈손, 무표정은 사연 많을듯한데
무슨 일이 있었는지 묻지 않았다

무심한 강물은 아무일도 없다는 듯
제 갈 길을 가고
시선의 끝에
다시는 날아오를 수 없는 하늘이 떠있습니다
저 너른 허공을 가볍게 날았던 기억이
꿈결인 듯합니다

*

기적

인생을 살아가는 데는 오직 두 가지 방법밖에 없다.
하나는 아무것도 기적이 아닌 것처럼 사는 것이고
다른 하나는 모든 것이 기적인 것처럼 사는 것이다.
-알버트 아인슈타인

둘 중 하나의 선택으로 살아가는 날들입니다.

*

작은 느낌표

오밀조밀
아기자기하게
화려한 맵시덩이로 완성되는
박태기 꽃무리가 이른 봄날을 수놓았다

행복은 아마 이렇게
작은 웃음과 소소한 즐거움을 꿰어
하나의 완성을 이루는 것이리라

—
박태기나무 : 꽃말은 우정, 의혹이다. 밥알을 튀긴 '밥티기'를 닮아 박태기나무, 꽃봉오리가 구슬을 닮아 북한에서는 '구슬꽃나무'라 부르며, 예수의 제자인 유다가 목을 매어 죽었다고하여 유다나무'라고도 불린다. 꽃자루 없어 진분홍 꽃이 가지를 감싸 안듯 핀다. 꽃에는 독이 있지만 관상수로 적합하다

—

하여가 : 고려 말 정몽주의 마음을 회유하기 위하여 이방원이 지은 시조.'이런들 어떠하리 저런들 어떠하리 만수산 드렁칡이 얽혀진들 어떠하리...' 얽힘의 논리로 화해와 조화를 바라지만 정몽주는 죽음의 논리로 의지와 단절을 답변한 시조(단심가)로두 사람이 처한 입장, 지략적인 정치가와 비타협적인 학자의 면모가 드러나 있다.

*

신 하여가 新何如歌

마음이 가는대로 살아가야지
바람 부는 방향으로 몸을 누이고
헝클어진 은빛 머릿결 쓸어 넘겨야지

비 오면 빗소리 듣고
눈 내리면
아직도 나를 기다릴 것만 같은 그대 떠올리며
밖이 환하게 내다보이는 카페에서 커피를 주문한다

젊음이 내 것이었고
황혼도 내 것이니

*

점, 그리고 마침표

직장이란 단어 끝에 점 하나 찍었습니다
마침표를 위해 달려온 것은 아니었지만
묵훈墨暈처럼 스며오는 아쉬움의 실체가
무엇인지 잘 모르겠습니다

달아, 너무 높이 뜨지는 말아라

*

귀로 歸路

매일 저무는 해지만
노을이 늘 만들어지지는 않습니다
집으로 돌아가야 할 일몰의 시간
아쉽지만 둥지가 동쪽에 있어
아름다움을 외면하고 발길을 돌립니다
그 무엇보다 소중한 가족이 있기 때문입니다

*

어차어피

늦가을, 예보 없이 첫서리 내리고
계절이 꿈틀거릴 때마다 버섯 꽃이 돋아납니다

활자와 친해지고자 코끝에 돋보기 걸치니
문자는 선명한데 세상은 여전히 흐릿합니다

나이테를 하나씩 보탠다는게
뭐 그리 대단한 일은 아니었습니다

덧셈뿐인 세월을 손꼽아본다는 건 어리석은 일입니다
그런대로 견딜만합니다

*

연서

바다를 바라봅니다
오고감의 흔적을 매번 지우는
파도의 속마음이 궁금합니다

구애의 사연인지
그리움의 독백인지
원망인지는 알 수 없지만
언제나 새 사연으로 다가왔다가
발끝에서 거품으로 사라지는
그 마음의 진실을 묻고자

해독되지 않는 연서의 글밭에 앉아
하루를 보냅니다

*

스승

이슬 모아 진주를 만듭니다
애써 만든 보석을
한 번에 쏟아버린 후
풀잎은
괜찮다는 듯 고개를 끄떡입니다

*

옹고집

겨울 숲
낙엽 몇 잎이 고집스럽게 가을로 버티고 있습니다
미련 떨며 사는 게
어디 저 나뭇잎뿐이겠습니까
마음은 아직도 가을입니다

*

갱년기

어느 날,
아내의 얼굴이 붉나무 잎처럼 물들었다
홀가분함이 서글픔으로 다가온다는 그 말

그래 벌써 꽤나 많은 시간이 흐르긴 했지

*

묵언수행黙言修行

변변히 이룬 것도 없이
지나온 길이 꽤나 멉니다

이쯤이면 성숙함이 고여야 하는데
살아온 삶이 치열하거나
특별하지 못했기에
늘 부족할 뿐입니다

다만 아직도 삶의 끄트머리에 매달린
미열微熱이 전도傳導되어
녹슬고 무디어진 정신을 추스르고자
지금 수행 중입니다

서두르지 않아도

서두르지 않아도 / 살아 있음을 담보로 한 /
그 어딘가에서 나를 바라보는 눈길을 느끼ㅁ

일방통행의 여정旅程 /
생을 디딘다 / 삶은 여전히 진행형이다

*

자화상

자꾸 부끄럽다
해를 거듭할수록 더 웅크려들었다
나름 열심히 살아가고 있다고 스스로 위로하지만
세상의 거친 시선에 작은 어깨 더 움츠려 든다

애써 피운 꽃들은
너무 보잘 것 없고
향기조차 변변치 않아 벌 나비도 외면했다
긴 외로움의 발끝, 길게 늘어진 뒤안길에
감출 수 없는 생채기 끌어안고
초라하게 버티는 자화상
그래서 부끄럽다

*

세월

불쑥 아내가 아줌마로 읽혀졌다
펑퍼짐, 설명 필요치 않다

목 늘어난 셔츠 걸치고 양푼비빔밥 거덜 내지만
외출하면 외모도 말투도 달라지는 이중성을 지닌다
자신감인지 뻔뻔함인지 구분이 모호하지만
주름 없다는 듯 세상과 마주선다, 당당히다

 귀가하면 바람 빠진 풍선처럼
아무렇지 않게 제자리로 돌아온다
그 태연함이 안쓰럽고 민망하게 다가와
연민의 정을 느낀다

그녀를 바라보는 내 얼굴에 주름 한 줄 고인다

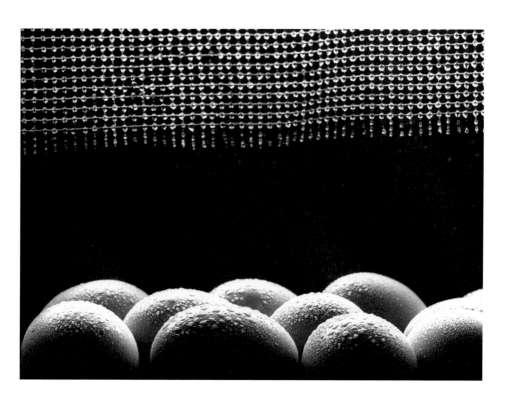

백로白鷺 : 여름철새, 희고 깨끗하여 백의민족 또는 선비의 상징으로 한시 시문에 많이
등장한다. 보통 백로를 학으로 부르는데 전혀 다른 종류이다. 해마다 봄이면 찾아와
나무에 둥지를 틀고 물고기 따위를 잡아 새끼를 키워 가을이면 남쪽으로 가는 철새.
지구온난화로 텃새화되는 듯하나 한 겨울 추위를 힘들게 버티는 여름 나그네의 모습
은 언제나 안타까운 한 컷 풍경이다.

*

사연

한 겨울 얼어붙은 호수에서
맨발로 버티고 있는
여름철새의 고독을 보신 적이 있으신지요
자연의 순리 거스른 이유 물었지만
긴 목 물음표로 떠날 수 없던 사연을 대신합니다
무모한 도전이 새로움을 창조할 수도 있기에
함부로 말할 수는 없겠지만
침묵으로 외로움과 한기 속에서
혹독한 대가를 치루는 고통이 안타까울 뿐입니다
아직 손발 시린 2월입니다

*

봄날 감성

꽃잎 분분히 날리는 늦은 봄날
무심히 창밖을 바라보는 아내의 옆모습
세월이 꽤나 지나쳤는가

베란다의 꽃처럼 우리도 피었다 시들어 가는 중이겠지
먼 산은 녹색으로 짙어만 지는데

성성한 흰머리 쓸어 올리는 계절, 나른하다

*

어느 길목

빵의 폭력에 무릎 꺾여
종소리만 들어도 침을 흘리는 파블로프의 개처럼
먹이를 따라 꼬리치며 살아왔음을
부인할 수 없어 가슴 아프다

나는 지금 어디에 머물고
어디로 가야할지 몰라 서성이고 있다
가끔은 허한 가슴을 위해
술잔의 위로를 받는다

*

거울 단상

슬퍼도 화가 나고 배고픔을 느낀다는 사실이
나를 인간답게 하고 동물답게도 한다
식욕과 성욕은 하등동물도 갖은 원초적 본능
그래서 슬프다

거울을 볼 때마다 나를 바라봐주는
익숙하고도 낯선 듯한 얼굴
끝없이 나를 지켜보는, 녀석
넉살도 비위도 좋다

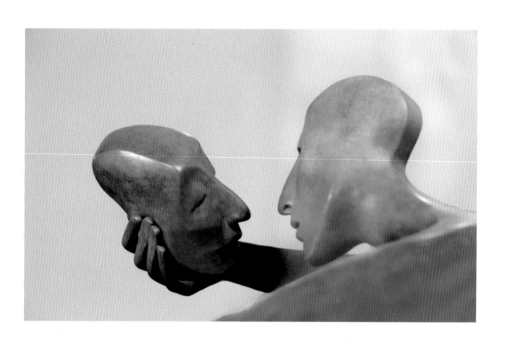

*

빈 손

공기 반 소리반이라는 음색의 노래를 들으며
허풍으로 빵빵한 과자봉지를 꾸욱 누른다
팡! 일순 터져버린 풍선잔해의
보잘 것 없는 허망함을 본다
진실을 찾기 어려운 세상사
X레이 필름 속 늑골처럼 앙상하다

*

어느 길목

기억으로도 잡아둘 수 없는 어제
분명 존재했던 한 시절의 표피를 추억한다
미동도 없던 의식에 추억의 색깔을 입힌다
사라진 어제가 머무는 시간,
꽤나 낯설다

*

행복

풍성함과 마주하면
사랑하는 사람과 가족이 먼저 떠올랐다
늘 부족했음에도 환한 웃음을 짓던 눈망울들,
오늘 성찬盛饌을 나누고자 모두를 호출했다
매사를 제쳐놓고 달려와 함께하는 넉넉한 식탁의 행복

—
해우소解憂所 : 사찰의 화장실, 근심을 푸는 곳이라는 뜻이다.
뒷간, 안채와 떨어져 있어 측간으로도 불린다.
우화등선 : 몸에 날개 돋아 하늘로 올라 신선이 된다는 성어
번잡한 세상일을 떠나 마음 평온하고 즐거운 상태를 말한다.

*

오늘

가느다란 희망의 끈을 부여잡고
험난한 세상사 외줄 타듯 살아갑니다.
나뭇잎 생식하며 해우소 드나드는 의식으로
우화등선羽化登仙을 꿈꾸던 시절이 있었습니다
중력을 거스르고 싶었던
자랑스럽지 않은 젊은 날의 객기客氣었습니다
설령 내게 날개 달아준다 해도
날아오르는 법 배운 적 없어
그저 운명이라는 무대에 머물고 있을 뿐입니다

*

시선

같은 하늘을 바라봅니다
구름을 이야기하려했는데
당신은 날아가는 새의 날개 짓을 말합니다
왜 보이는 것이 달랐는지는 서로 묻지 않았습니다
둘 다 진실이었기 때문입니다
얼마큼을 더해야 같은 것을 말할 수 있을지 모르지만
한곳을 바라보며 서로에게 다가설 수 있기를 기도합니다
설사 그것이 다음 생일지라도 말입니다

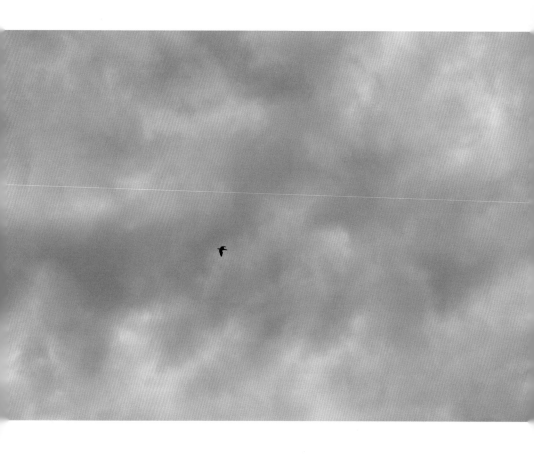

달아, 너무 높이 뜨지는 말아라

*

죽마고우 竹馬故友

부랄 친구들과 어울림은 언제나 소란스럽다
그때 말이야!
목소리 커질수록 안쓰러움이 더 드러나는
매번 녹음기처럼 반복되는 케케묵은 이야기들
영화는 단 한편임에도 상영 시마다 새롭게 각색된다

격조 있는 죽란시사 竹欄詩社는 아닐지라도
한 시절의 무용담들이 까치발로 자꾸 키를 늘인다
배터리가 다할 때까지 이어질
세월의 뒤안길이다

네 번째 이야기

이미지의 늪에 빠지다

190　달아, 너무 높이 뜨지는 말아라

*

변명

꽤나 오랜 시간을 투자했습니다.
나름, 작은 소리에도 귀 기울이고 눈길을 주었습니다.
그만큼이면 전문가가 된다는 시간을 벌써 두어 번
넘어섰음에도 아직 언어는 어눌語訥하고 문장은
해독불가입니다.
다시 새로운 시간을 채우기 위해 서성이는 이 우둔함이
슬프지만 이제는 뻔뻔해져 부끄러움조차 모르겠습니다.
지금 제 사진세계가 그러합니다.

절제의 여운

문학에서 행간行間의 여백이 느껴질 때
행복해 집니다.
전시장에서 가슴이 촉촉해지는 사진을
마주할 때도 충만감을 느낍니다.
그런 떨림이 사진에 미련을 버리지 못하게 합니다
입자 사이의 여백에 투명한 감성을
오롯이 담아보고 싶기 때문입니다

*

독백

문학이든 사진이든 소수의 전업 작가들이 감내하는
그 특별한 아픔이 부러웠습니다
한때 그곳을 바라보는 꿈을 꾸기도 했습니다.
환금還金 기질이 전혀 없는 내 사진더미 앞에서
스스로 질량부족을 느껴야 하는 비애悲哀,
좌절하면서도 가슴과 셔터가 동시에 열리던 순간을
사랑합니다
프로페셔널professional은 아닐지라도
예술가로 불리고 싶은 욕망이 가슴에 머무는 한
조금 더 성장하는 사진가가 되고자 고민합니다
외롭지만 부끄럽지 않은 예인藝人이 되고싶을 뿐입니다

기도문

오늘도 제 사진작업과 끼적임이
내 삶에 여기餘技가
되지 않기를 기도합니다
이는, 늪에서 허우적거리고 있음을
스스로 고백하는 것입니다
향리의 풍광風光이 아름다워 사진기를 들었고,
독백의 어휘語彙를 노트에 담아가고 있습니다
설사 치열熾烈하지 못한 부질없는 끼 일지라도
이들과 오랫동안 함께하기를 두 손 모으는
시간입니다

*

무궁화 꽃이 피었습니다

시간의 뒤편에 숨어있던 멜라닌색소가 하나둘
고개를 내밉니다
젊음의 뒤안길에서 미처 연소燃燒되지 못한 불꽃의
뒷모습입니다
모른 척 눈길을 돌리자 누가 이기나 보자는 듯
점점 영역을 넓히지만
모자하나 걸치고 한낮의 햇살 속으로 나섭니다
어깨에서 흔들거리는 사진기의 무게조차 짐으로
전이轉移되는 시절입니다.

200 달아, 너무 높이 뜨지는 말아라

*

일방통행 一方通行

허름한 가방하나 둘러메고 훌쩍 여행을 시작합니다
새로운 풍경에 눈이 멀다보면 가슴 흔드는 사진 몇 장은
건질 수 있을 거라고 생각했습니다
차창 밖 풍경에 취해 불쑥 생소한 거리에 내립니다
목적지를 정하지 않은 여행이 마냥 자유로울 줄만 알았는데
갈림길에 설 때마다 멈칫거립니다. 낯선 공기와 낯선 풍경
그리고 낯선 사람들, 자꾸 어깨가 움츠려듭니다
수줍음 많은 제 사진기는 여전히 가방 속에서 취침중입니다

* 여전히 빈독

까칠한 성격과는 달리 제 사진에 여성적인 느낌이 있다고 합니다. 채도가 낮은 안개를 피부로 호흡하며 자신도 모르게 무채색無彩色의 감성을 닮아가고 있었던 모양입니다.

순수를 표방하며 손이 부르트도록 우물물을 길어 올리지만 여전히 빈 독입니다. 녹피를 담았던 종이컵에서 꽃향기 나기를 기대하는 우를 범하며 살아가고 있습니다.

*

욕심

현악기 연주를 위해 조율이 필요하듯
셔터를 누르기 전 가슴을 열어야했습니다
감동을 주는 글 밑에 줄 그어 울림과 떨림을 간직하듯
내 사진에 밑줄을 그어줄 사람이 있을 때 까지
셔터를 누르려 합니다

*

강박관념强迫觀念

사진을 찍는다는 건 그저 호흡하는 듯한 일상이었습니다
누군가 내 앞을 막을 것 같은 불안감에 심호흡을 합니다
사진을 찍는 행위가 즐거움만이 아닌 욕심임을 알게 되자
두려움이 커집니다
활시위의 팽팽한 긴장감, 화살이 어느 방향으로 나가는지는
알 수 있지만 목표물을 향해 가는지는 모르겠습니다
어둠과 밝음이 공존共存하는 여명黎明의 시간처럼
빛과 어둠이 자연스럽게 어우러지기를 바랄뿐입니다

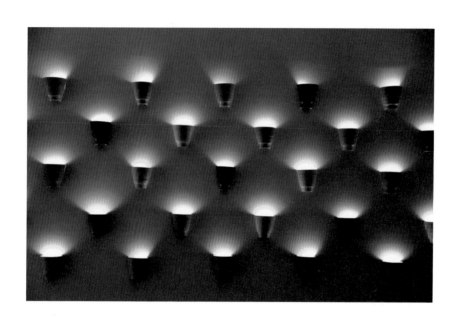

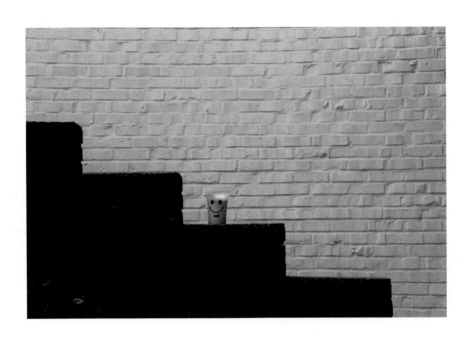

달아, 너무 높이 뜨지는 말아라

*

거리의 스승

골목에서 불꽃 남은 담배꽁초를 삼키고도
미소로 정물靜物이된 종이컵을 만났습니다
뜨거운 고통을 해학으로 풀어내는 그 위장僞裝된
묵음黙音에 시선이 머뭅니다
드러내지 않고 무언가를 느끼게 하거나 이야기를
끌어내는 문학과 사진이야말로
생략과 은유隱喩속에 감춰진 암시와 응축의 결과물인데
한 번에 모든 것을 담고자하던 욕심이 비춰져 부끄럽기만합니다
이제라도 프레임 안에 저만의 고유 언어를
사육飼育 해야 하겠습니다

*

한계점

형상을 보되 사물에 억매이지 않아야
좋은 사진을 만들 수 있음을
어렴풋 느껴가는 시절입니다
참으로 오랜 시간을 보내고 나서야
천천히 내 사진을 들여다 봅니다
제 역량의 한계가 이쯤에서 머물지
않기를 바라는 간절한 마음으로
셔터를 지그시 누릅니다

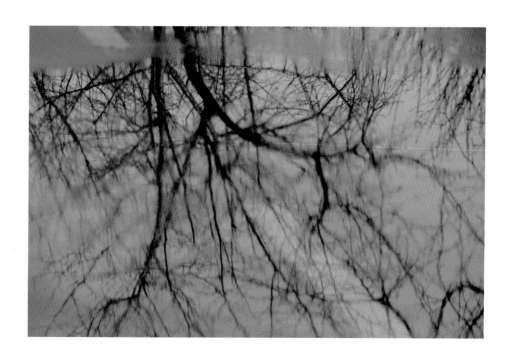

*

옆자리 소녀

단발머리 소녀가 주변의 많은 시선도 아랑 곳 않고
셀카self camera 삼매경에 빠져있습니다
자기애自己愛일까. 연지臙脂 바른 입술을 삐죽이 내밀고
야릇한 표정을 지으며 얼짱 각도로 셔터를 눌러댑니다
스스로의 모습에 도취된 듯한 표정도 잠시
이번엔 경이로운 속도로 삭제버튼을 눌러댑니다
손놀림이 얼마나 빠른지 시선을 거둘 수 없었습니다
무엇이 맘에 들지 않았을까
쓰레기통을 비우듯 미련 없이 지워버리는 디지털 시대,
셀카 중독시대의 일상사입니다
찍고, 지우고, 또 찍고 또 비워지는 영상들
잘잘못의 흔적이 고스란히 남던 아날로그 필름시대의
기다림. 그때의 향수에 젖어 잠시 눈을 감아 봅니다
어디선가 한 줌 시큼한 정착액 냄새가 다가오는 듯합니다

*

흔적

사진기에 얹힌 먼지가 제법 수북합니다
커피를 마시듯 습관처럼 사진과 함께 하며
수많은 빈 잔을 만들어 낸 시간들,
언어를 정제精製하는 시인들이
행간에 의미를 보일 듯 말 듯
숨겨두는 것처럼
사진가는 또 다른 시선으로 세상을 헤집으며
입자와 픽셀의 틈 사이에 나만의 언어를
파종하여 은유로 거두고 싶습니다

*

도화지

사진만큼 감성을 담아 두기 좋은 그릇이 어디 있겠니
기억의 한계를 넘나드는 그 사실적 묘사에
글 한줄 슬쩍 얹으면
그때 순간 떨림이 아직도 가슴을 흔드는 것을 …

*

외로움

제 사진에서
고독의 느낌을 발견하셨다면
그것은 텍스트text일까요.
아니면 연상의 이미지였을까요.
배꼽 아물기 전 혈연의 끈을 놓치고
혼밥 혼잠의 외로움을 너무 일찍 알아버린
시린 기억 한 장

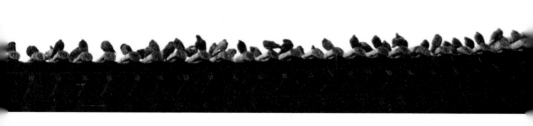

*

앗!

셔터를 누르는 순간 손이 조금 흔들린 듯
했는데 사진 속은 태풍이 일었습니다
의도하지 않은 작은 실수가
세상 질서를 뒤엎을 수 있음을
새삼스레 깨닫습니다

*

좋은 사진이란?

한동안 아름다움을 찾는 발견의 미학에 현혹眩惑
되었습니다
남들이 인식하지 못한 이미지 채집으로 혼자만의
만족에 취해 분주하던 때가 있었습니다
어느 날,
막다른 골목길의 막막함에 갇혀 정녕 좋은 사진이
무엇인가를 스스로 되물어 보았습니다
조금 두려운 손길로 필름을 장전裝塡합니다
오늘도 안개 머금은 향리의 풍경 앞에서 서성이는
사진가의 하루입니다

＊

후회막급

제대로 여행을 즐겨 보리라는 다짐을 다짐하며
사진기 없는 여행을 떠났습니다
어깨가 허전했지만 가벼워 좋았고 사물에 집착하지
않아 마음이 홀가분했습니다
하루, 또 하루가 지나자 여기저기 담고 싶은 피사체가
자꾸 눈에 어른거립니다.
사진기의 부재가 몸살로 다가와 후회막급입니다
사진기 없는 여행은 무리라는 것을 새삼 깨닫습니다
즐거워야 했는데 조금도 행복하지 않았습니다
그저 어깨가 조금 가벼울 뿐이었습니다
다시 사진기를 메고 떠나는 여행을 계획하고 있습니다
까짓 어깨가 조금 내려 않으면
그게 무슨 대수이겠습니까?

달아, 너무 높이 뜨지는 말아라

*

사족蛇足

"삶, 세계, 모든 것이 믿기 어려울 정도로
아름답고 경이롭기 때문에 글을 쓴다."
노벨문학상 작가 '오르한 파묵'의 말입니다.

나는 왜 사진을 찍고 있는가?
조금씩 소멸되는 울타리 안의 작지만
아름다운 감성을 잃지 않기 위해서입니다.
새로운 눈으로 보지 않으면
일상은 그저 평범할 뿐입니다.
추사 김정희는 기이奇異하지 않으면 글씨가 되지
않는다고 했습니다.
고정관념과 평범함을 넘어서야 된다는 교훈을
떠올리며 하늘을 향해 돌팔매를 날립니다.

텀벙!
소리가 온 누리에 울려 퍼집니다.

향리 풍경

바라볼수록 예쁘다
호수너머 떠오른 도시 실루엣이 아름답다
안개감성이 음악으로 흐르는 향리의 산하山河
예서, 터 잡은 토박이조차 설레이게 한다
유럽여행에서 환호하던 색색의 화려한 모습과 달리
한 폭 수묵화로 그윽이 다가와 시인이 되고
사진가가 되게 하는 춘천의 물안개
저 특별한 풍경과 향기 짙은 커피향이 있어
오늘이 행복합니다

230 달아, 너무 높이 뜨지는 말아라

*

감성을 건지다

일상에서 농축된 사유를 건져 올리는 시인과
붓 하나로 살아있는 화폭을 만드는 화가가
오늘만큼은 부럽지 않습니다
냉정한 렌즈의 굴절을 거친 빛을 조절하는
뜨거운 가슴과 감성으로 호숫가를 서성입니다
열정만은 누구에게도 지기 싫은 사진가가
무딘 시선으로 건져 올린 촉촉한 마음입니다

*

사진가의 권한

사진기는 자연의 산하와 바람과 햇살까지도
내가 허용한 만큼의 크기로 수용합니다
비록 잠시 잠시지만
세상을 좌지우지 할 수 있는 조물주의 권한을
마음껏 누릴 수 있는 사진작업의 매력입니다

*

망상妄想

촬영을 핑계로 꽤나 많은 사물을 탐닉했습니다.
불어난 욕심으로 수많은 피사체에 매달려 보지만
늘 접근을 불허합니다.
손잡이만 돌리면 문이 열릴 것 같은 망상에
문을 두드리고 서성이지만 기척이 없습니다.

행여 불쑥 문이 활짝 열리며 반겨줄 것 같아
떠나지 못하는 시간입니다.

*

일편단심

사진촬영은 세상의 한 귀퉁이를 원하는 만큼 잘라
내 것으로 취하는 행위입니다
사진기는 현실의 주어진 단면을 기록하는 냉정한 눈매를
가진 기계일 뿐이기에 포획한 대상을 프레임 안에서
어떻게 할 것인지는 온전히 사진가의 의식과 사유로 완성됩니다
남다른 안목과 의도성 그리고 예술성이 깃들어야 작품으로
탄생할 수 있는 것입니다
사진가의 길에 다가서고자 끝없는 구애로 기웃거리지만
도무지 마음을 열지 않습니다
사진은 희망과 절망을 동시에 주는 애증의 대상이지만
제 삶의 쉼표이기도 합니다

달아, 너무 높이 뜨지는 말아라

오롯한 감성

늘 마주하던 것들이 새삼스럽게 가슴으로 달려들 때
나는 겁 없이 셔터를 눌러댄다
익숙함이 불현듯 생소한 모습으로 다가온 순간의 설렘
그런 사진 속에는 타인은 느낄 수 없는
나만의 감성이 오롯했다
사진의 절대 매력이고 나만의 비밀스런 공간이다
이 즐거운 시간이 더없이 소중하고 행복하다

노자는 '건강하게 살아가려면 함부로 보지 말라'고 했으니
함부로 담지 말아야 한다
보잘 것 없더라도 내가 선택한 대상에 애정을 쏟는다
내 사진기가 허접한 이미지를 담는 창고가 되지 않기를
기도한다
좁은 세상에 몰두하다 보면 주변의 더 큰 풍경을
바라보지 못할 수 있기 때문이다

*

사진가의 이름

찍는 행위가 행복하다
스스로 선택한 대상에 초점을 맞추고 바라보는 순간이
즐겁다
이미지로 정착되기 직전의 긴장감이 고스란히 느껴지기
때문이다
사진가라는 어휘를 사랑하는 큰 이유 중 하나이다
고가의 사진기라도 좋은 사진가의 손에 있기 전에는
그저 기계에 불과하다
렌즈의 냉정함과 눈썰미는 무서울 정도이다
미처 인식하지 못했던 순간과 대상이 고스란히 담겨져
진중하지 못했던 나를 책망하곤 했다
그래서 조심스러운 시선으로 질감을 터치하며 셔터를
누르려 노력한다
그리곤 그 순간 무호흡 시간의 기억을 오랫동안 간직한다

사진 입문기의 하루

인적 없는 계곡 작은 여인이 옷을 하나씩 벗습니다.
속옷이 어깨선을 타고 발끝으로 흘러 내립니다
가슴선이 유난히 아름답고 뽀얀, 그리고 탄력있는 몸매가
환하게 드러납니다.
한 올도 걸치지 않은 나신裸身에 호흡이 멈춰집니다.
선녀의 목욕모습을 훔쳐보던 나무꾼의 마음이었습니다.
떨림도 잠시 속물스럽게 먼저 그녀의 가슴부근에서 머물던
시선은 이내 아래로 치부를 숨긴 작은 숲까지 단숨에 달려가
서야 멈춥니다. 아마 옆에서 기관총처럼 연사하는 셔터
소리가 없었다면 촬영도 잊고 넋을 놓고 있었을 겁니다.
뛰는 가슴을 진정시키려고 덩달아 셔터를 누릅니다.
작은 파인더를 통해 여체를 마음 놓고 탐닉합니다.
몸을 움직일 때마다 봉긋한 꽃숭어리가 들썩입니다.
작은 숲에서 뿜어 나오는 농익은 여인의 향기에 숨결이
가빠지는 걸 감추고자 애먼 셔터를 연실 누릅니다.
촬영이 끝나고 그녀가 환한 미소를 지으며 옷을 걸칩니다.
그제야 정신이 듭니다. 어떻게 촬영했는지 하나도 생각나지

않았습니다. 많은 사진가들이 프로모델을 둘러싸고 솜씨를
견주어보는 누드촬영의 첫 경험이었습니다.

옷을 걸쳤는가 아닌가 하나로 전혀 다른 인격체로 다가
왔습니다. 방금 전 이브의 모습이 조금도 연상되지 않는
그의 당당한 직업관과 조신한 자태에 잠시 혼돈합니다.
혼자 흥분해 열기를 식히던 부끄러움의 시간이 지나자
뭔지 모를 아쉬움이 계곡물 소리에 묻혀 흘러갑니다.
새로운 경험을 통해 성숙이라는 단어의 의미를 익히던
사진 입문기의 하루 일기입니다.

244 달아, 너무 높이 뜨지는 말아라

*

이미지 중독자

그대가 무심히 바라보는 한 장의 사진을 위해
몇 날을 축내며 궁리하고 고민했지만 그 감동을
담아내지 못할 때 나는 좌절합니다.
현장의 뜨거웠던 감성은 어디로 사라진 걸까요.
혼자만의 사랑과 혼자만의 떨림을 고스란히 전하지
못하는 아픔을 당신은 아시는지요.
당신의 가슴을 흔들 수 있는 작품을 만들지 못하는
부족하고 못난 사진가이지만,
사진은 내게 행복과 좌절감을 동시에 맛보게 하는
짓궂은, 그러나 밉지 않은 최고의 동료입니다

*

가위손

나는 가끔 골똘해진다.

내 사진이 파인더에서 피는 꽃인지, 렌즈 끝에서 피어난
것인지 모르기 때문이다. 사진을 만나기전에도 내 삶은
꽤나 비틀거렸다. 짝사랑과 이별로 지구의 술을 축내기도
했다. 삶은 별것도 아니었다. 미친 듯 혼자 낄낄거리고,
세상을 다 잃은 듯 꺼이꺼이 울어도 보는 마임극 같은
거였다. 우연히 사진을 만났다. 세상을 내가 원하는 만큼
마음대로 재단하는 가위질놀이에 빠져 들었다.

한동안은 즐거웠고 누구보다 행복했다. 그렇게 세상을
잘라내고 담고 담았다. 부피가 늘어나는 만큼 행복해야
했는데 언제부터인가 그 무게가 짐으로 다가왔다.

짐을 줄여야 했다. 비슷한 물건들이 너무 많아 선별조차
힘들었다. 한결같던 취향, 그게 나의 정체성이었는지 모르
겠지만 불쑥 식상이라는 단어가 떠올랐다. 각질을 털어
낸다. 수북하다. 삼십대의 감성을 그리는 중년의 낡은
시선이 헛된 꿈처럼 보이지만 사랑과 슬픔은 세월이 막을
수 없는 감성이기에 오늘도 세상을 자르고 있다. 파인더는
세상을 향한 창문이자 불꽃 타오르는 아궁이기에 …
마른장작의 꿈을 활활 태워 한 줌 재로 날리는 것이다.

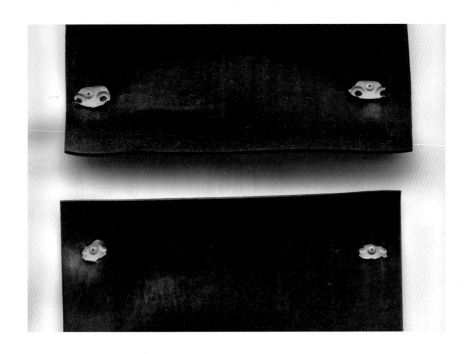

어휘를 나누다

있는 것을 복사하는 것은 예술이 아니라 했다.
새로운 눈을 가져야 한다고 했다. 존재를 용납하되
그 물상의 고정관념에서 벗어나 출구를 찾으라 했다.
머뭇거리다 문을 밀었다. 문밖이 바로 허방일지 모른다는
생각이 들었지만 이미 한발이 나가 있어 꿈이기를 기도했다.
억지가 아닌 가슴이 이끄는 자연스러움이 담겨지기를 노력
하고 있을 뿐이다. 사진가의 의도와 마음이 온전한 언어로
읽히기 바라는 것이 과한 욕심은 아니리라.
주관적인 시선으로 사물과 나눈 어휘를 담아내고 싶다.
설사 그것이 내 사진답지 않다고 질책해도 한 점의 싱싱한
회처럼 날 것의 정신을 담고 싶다.

*

이미지로 시를 쓰고 싶다

조금은 무례하지만
사진으로 시 한 편을 대신하려 합니다
행간과 여백 그리고 마침표도 생략합니다
나름의 감성을 위해
초점도 구도도 무시해 버렸습니다
착각이겠지만 작가가 된 듯합니다
혼자만의 즐거운 상상 속에서
이미지시인을 자처하며 살아갑니다

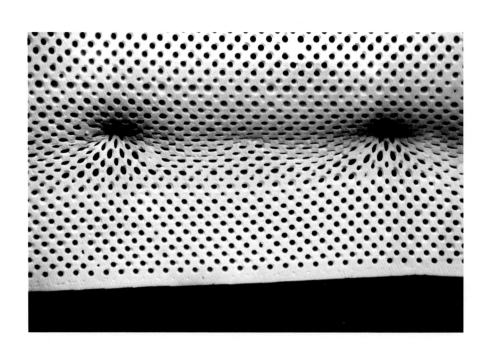

*

썩소

둥글둥글 함께하던 오랜 친구粒子를 버리고
새로운 친구pixe를 사귑니다
모나고 까칠하지만
적응력이 남다른 처세술사입니다
유혹에 이끌려 사각의 방에 들어서고 보니
차디찬 격전지입니다
링으로 들어선 이상
냉혹한 승부사가 되어야 하는데
아직도 디지털의 낯가림에
구겨진 미소를 지으며
뒷자리에 슬쩍 끼어듭니다

대상을 감각적으로 알아볼 수 있게 해주는 말을 구상어라고 한다.
언어의 영역 안에 있는 시에서 쓰는 용어다.
포괄적 의미에서 본다면 구상어의 다른 이름은 이미지다.
구체적인 만큼 정확하기에 모든 예술 장르에서 핵심적 장치로 쓰인다.
상투적 관념에 얽매이지 않고 새로운 눈으로 사물을 바라보는,
즉 나만이 갖는 개성적인 눈은 예술가들이 추구하는 작품세계일 것이다.
이미지와 이미지가 유기적으로 조직되어 연합 또는 충돌함으로써
빚어지는 이미지의 간섭 효과는,
특히 유사 이미지가 아닌 이질적 이미지의 결합에서는
거리가 멀면 멀수록 신선하게 느껴진다.
사진과 글이 만난 이 책이 그렇다.
사실적 이미지를 전면으로 내세우는 '사진' 장르에 풍부한 상상력과
단상 이미지의 깔끔한 묘사까지 어우러져 책을 이루었다.
이러한 책을 만난다는 것은 큰 즐거움이다.
심창섭 작가의 예술가적 기질과 사물을 바라보는 따뜻한 시선을 맘껏
누벼 볼 수 있기에,
덕분에 우리는 앉아서 책의 아무 곳을 아무렇게 펼쳐서
아무 곳의 경험을 누릴 수도 있겠다.
여행이 별거겠는가.
손닿는 가까운 곳에 이 책을 두고 아무 때나 펼쳐 떠나면 되지 않겠는가.

– 최계선(시인)

달아, 너무 높이 뜨지는 말아라

1판 1쇄 | 2023. 11. 15.

글·사진 | 심 창 섭

펴낸이 | 최 헌 근

편　집 | 김 혜 란

제　작 | 디자인하우스(M&M)

등　록 | 제 399호

주　소 | 경기도 파주시 문발동 파주출판도시 535-13

　　　　춘천지사 / 춘천시 효자로 150번길 36-1

　　　　☎ 033-252-6323　Cp 010-8420-7004

ISBN 978-89-7508-312-9 (03230)

값　15,000원

* 이 책은 강원특별자치도, 강원문화재단 후원으로 발간되었습니다.